Max et
des pouvoirs magiques

Série dirigée par Dominique de Saint Mars

© Calligram 2012
Tous droits réservés pour tous pays
Imprimé en Italie
ISBN : 978-2-88480-633-6

Ainsi va la vie

Max et Lili ont des pouvoirs magiques

Dominique de Saint Mars

Serge Bloch

CALLIGRAM

CHRISTIAN (○) ALLIMARD

7

9

11

12

15

16

17

19

C'est incroyable ce qui m'arrive ! Tu as vu pour le petit déjeuner ! En classe, j'ai dit : « ABRACADABRA, je veux la meilleure note en dictée... » et je l'ai eue !

Merci, Max !

À la récré, j'ai dit : « ABRACADABRA, je veux qu'Alex se lève de son fauteuil et marche ! » Et t'as vu... !

25

27

28

29

30

33

34

35

37

Et toi...

Est-ce qu'il t'est arrivé la même histoire qu'à Max et Lili ?
Réponds aux deux questionnaires...

C'est pour avoir de bonnes notes sans travailler ?
Être invisible, le plus fort ? Voler ? Faire du bien, du mal

Tu en rêves avant de t'endormir ? Quand tu t'ennuies
ou tu n'y arrives pas ? Tu en parles, ou c'est ton secret ?

Rêver, ça te donne des idées ? Quand tu désires
quelque chose, tu l'imagines et ça t'aide à l'obtenir ?

Tu aimes les histoires, les films où il y a de la magie ?
Tu aimes inventer des jeux ? Te déguiser ?

Il t'est arrivé quelque chose et tu t'es dit que c'était par
magie ? Tu crois aux objets qui portent bonheur ?

Tu trouves que ta vie n'est pas drôle ? À la maison ?
À l'école ? Tu aimerais vivre la vie que tu t'imagines ?

Si tu ne rêves pas de pouvoirs magiques...

Tu ne crois pas à la magie ? Tu ne crois qu'à la science, à ce que tu peux voir, toucher, expérimenter ?

Tu crois en toi ? Tu penses que tout dépend de ta volonté, que tu peux changer ta vie ? Tu es réaliste ?

Si une chose ne te plaît pas, tu agis pour la changer ? Sinon, tu cherches de l'aide ou une autre possibilité ?

Tu penses que l'amour, la gentillesse, un mot,
un regard, peuvent transformer la vie des gens ?

À quoi rêves-tu ? À un monde sans école, où
l'on ne fait que jouer ? À ce que tu feras plus tard ?

Tu n'aimes pas les contes ? Tu n'aimes pas qu'on
te raconte des bobards ? Tu ne lis que Max et Lili ?

**Après avoir réfléchi
à ces questions
sur les pouvoirs magiques,
tu peux en parler
avec tes parents ou tes amis.**